我的本命年任务

据［法］克利斯提昂·约里波瓦同名绘本动画片改编

郑迪蔚 / 编译

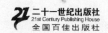

二十一世纪出版社
21st Century Publishing House
全国百佳出版社

下蛋，下蛋，总是下蛋！
生活中肯定有比下蛋更好玩的事情！
我在本命年遇见了大力士……

年终大扫除开始了。

一大早，皮迪克就带领大家忙碌了起来。

"小胖墩，你把鸡舍墙壁补上泥；卡门，打扫门前的尘土；卡梅利多，去把水槽清洗干净……"

在皮迪克的指挥下，大家井然有序地干起活来。

皮迪克站在草垛上威风凛凛地检查工作。

"割草了吗？干草垛码放整齐了吗？鸡蛋有没有分类、计数？"

"是，长官。我们的本命年一定会红红火火。"卡门举着笤帚回答道。

"这是非常特殊的一年，在鼠年、牛年……猴年之后，属于我们的鸡年来到了，这是我们的本命年，十二年才会有一次……"

6

突然，皮迪克发现公鸡爷爷独自爬上了屋顶。

"天哪！太危险了，你不要命了吗？"皮迪克紧张地对公鸡爷爷说。

"别紧张，我检查一下屋顶，在鸡年绝不能漏雨。"

恰在此时，一阵风吹来，公鸡爷爷原本就不是很健壮的大腿，越发显得摇摇晃晃。

　　"你们别一惊一乍的。想当年，你们还在壳里的时候，我就已经在修补屋顶了。"公鸡爷爷雄赳赳地站在屋顶上，"再换一片瓦就好！"

　　"可是爷爷，太危险了，别在上面玩杂技了，下来！"卡梅利多担心地说。

就在爷爷弯腰铺瓦的
时候，他脚下一滑……
"啊！不好！"

公鸡爷爷从屋顶上摔了下来……

哇！

公鸡爷爷安然无恙，大家感激地看着眼前这位高大的英雄。

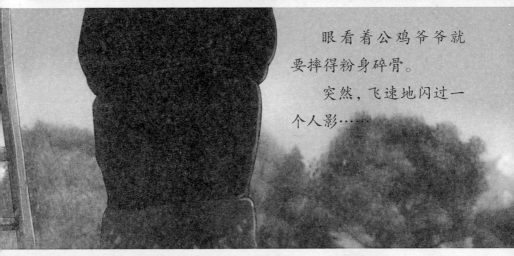

眼看着公鸡爷爷就
要摔得粉身碎骨。

突然，飞速地闪过一
个人影……

"你好！大力士海格力斯
为你们效劳。"

"真不敢相信！我被大力士救了！"

"我是众神之王宙斯的儿子。"

"哇！好棒哦！"

"但我需要完成十二个挑战任务才能被允许回家……"

　　大力士还没说完，就被鸱鹕佩罗气哼哼地打断了。

　　"是很棒，大力士先生，你的挑战任务当中，难道包括踩烂我的木桶，撞坏大门，踢翻饮水槽，践踏草坪吗?！"

12

"更过分的是，你看你，把小鸡们都扔到树上去了！"

"天哪！小凯丽、痘痘妹、小胖墩、大嗓门都在上面呢！"

"十分抱歉，我不能控制自己的力量，为了完成一项任务，往往会制造十个灾难……"

"……所以一直到现在我都回不了家。"大力士痛苦地仰望着天空。

"会好起来的！如果你愿意，没准能帮上我们。"卡门安慰大力士。

"可是我做过很多类似刚才那样的破坏性的事……"大力士背着手，生怕再闯出祸来。

皮迪克为了报答大力士的救命之恩，挽留说："但你也救了爷爷，今晚在我们鸡舍里过夜吧，干净又舒适。"

"谢谢，我睡草垛上就行，这样安全些。"

鸬鹚佩罗一个劲摇头："不行，不行！你们没看见我的木桶的惨状吗？我上哪儿睡觉？"

14

夜晚，忙碌了一天的大力士早早进入了梦乡，但他做梦都在想着如何完成十二个任务……

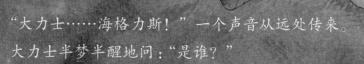

大 力 士

"大力士……海格力斯！"一个声音从远处传来。

大力士半梦半醒地问："是谁？"

"是宙斯在说话。大力士，仔细听我说！你要照我说的去做，才能控制力量……"

第二天，大嗓门、痘痘妹和小凯丽坐在草垫上。

"你能轻轻地吗，大力士先生？"小凯丽眨着大眼睛可怜巴巴地看着大力士。

"放心吧，我刚学会了控制力量！"大力士信心满满地举起草垫。

起！

大嗓门、痘痘妹和小凯丽都被扔
向空中，掉到草垛里。

"喂，你脑子进水了
吗？是抬起！不是扔出
去！"大嗓门愤怒地说。

"我的天哪，您都
做了什么？"

"昨天晚上，宙斯教给我控
制力量的能力，但我还是没有
做到。"大力士沮丧地说。

17

晚上，大力士睡着后，又听到那个神秘的声音。

"大力士，宙斯在说话……"

大力士！

"是，宙斯。集中精神，控制力量。明天我会继续练习。"

大力士的喃喃自语惊醒了睡在旁边的贝里奥，"哪儿来的声音？"

天一亮，贝里奥就赶紧拉着卡梅利多跑到森林里，告诉他昨天晚上听到的神秘声音。

"后来，宙斯对大力士说，要他静坐，才能够更好地聚集能量！"

"这不可能，你做梦吧！宙斯怎么会到咱们鸡舍里来？"卡梅利多劝贝里奥不要胡思乱想。

卡梅利多和贝里奥从森林往回
走,看见大力士正在草地上做练习。

"集中精神,控制力量。"大力士闭着眼睛自言自语。

"嗨,卡门!"贝里奥刚想
上前打招呼,就被卧在草垫上
的卡门制止了。

嘘!

20

卡梅利多悄悄走上前，没想到大力士听到脚步声，便睁开眼睛。

"嗨！你们好！"大力士刚说完就失去平衡摔倒在地。

"我们现在连招呼都不能打了。"贝里奥郁闷地说。

大力士重新做起练习。

这时，那个神秘的声音又
出现了。

"大力士，宙斯在说话。
集中精神！"

"又是宙斯。我，我听到他在说话，你
听。"贝里奥对卡梅利多说。

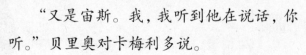

卡梅利多顺着声音，跑到树后一看，
原来是卡门在压着嗓子说话。

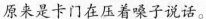

"你要放松，大力士，全
身心放松。做得很好，大力
士，你进步了。"

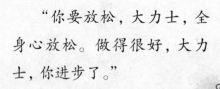

卡梅利多把卡门拉到一旁问：
"吓了我一跳，原来是你！"

"嘘——别说话，他能听到。
待会再和你解释。"

大力士一会儿没听到宙斯
的声音就很紧张。"宙斯，宙斯，
你还在吗？"

"我在这儿，大力士，
你要放松……"卡门赶
紧又回到树后。

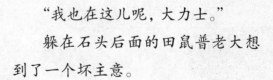

"我也在这儿呢，大力士。"
躲在石头后面的田鼠普老大想
到了一个坏主意。
"哼哼，我一直想当上帝。"

23

几天来，大力士按照"宙斯"的指导，控制力量的能力越来越好。

"你做得很好。想象自己轻如羽毛，大力士。集中精神。"

刺猬皮克和尼克坐在墙头看热闹。

"光看他做这些动作，我都快累死了。"

"更别说我了，我都替他出汗。嗨，快看那边，普老大溜过来了！哈哈，这回有好戏瞧了。"

田鼠普老大悄悄躲在草垛后面。

"呵呵，说几句话就能搞定了！"

　　中午,卡梅拉抱着卡门准备回屋休息。"怎么样,大力士,有进步吗?"

　　"是啊,午休之后,卡门要带我去钓鱼。"

　　"嗯,这是最好的集中注意力的练习了,一会见。"

　　大力士晒着太阳,
在草垛上睡午觉。

田鼠普老大见周围无人，
便学着卡门的声音说：

"大力士，宙斯在说话！"

"宙斯！是你吗？"大力士
一下子坐了起来。

"大力士，仔细听我说。这
是对你最后的考验，你要照着我
说的去做，首先，你要……"

午后，贝里奥扛着鱼竿按照约定去和好朋友们钓鱼。

"这次我可没忘带
鱼饵。"他得意地笑着。

可是当贝里奥抵达河边的时候，却发现卡门和卡梅利多
被大力士绑架了！

"大力士要把他们带去哪儿？"贝里奥吓得扔掉了鱼竿，
"我必须做点什么。我跟去？我不跟去？我还是要跟去！"

"你们别害怕，宙斯说要把你们带到森林里，马上就到了。"

大力士的力气很大，卡门和卡梅利多一点挣脱的机会都没有。

这时，树后又传来那个神秘的声音。

"站住！大力士，宙斯命令你把小鸡放在这里，很好！你回鸡窝休息吧，马上！"

"好的。"大力士轻轻地放下卡门和卡梅利多，"一会儿见，朋友们。"

大力士走远后，三只坏田鼠出现在卡门和卡梅利多面前。
"这儿有两位贵客，是不是啊，伙计们？"普老大奸笑着。
"我，我要先吃他们的鸡冠。"细尾巴舔着嘴唇。
克拉拉把锅扛了过来，"我要吃红烧鸡翅。"

贝里奥藏在树丛中，学着卡门的样子，压低嗓子对路过的大力士喊道：

　　"站住！大力士！宙斯错了，赶快回去找小鸡们！"

　　大力士猛地停住脚步。"真的是你吗，宙斯？你的声音怎么不一样？"他扒开树丛，看到了发抖的贝里奥。

　　"你，你可不要打我。我，我不是故意的……我全都解释给你听。"

卡门和卡梅利多被放进铁锅里，田鼠克拉拉正准备拾柴烧火。

哎哟！

大力士重重一跺脚，地动山摇。三只坏田鼠吓得挪不动腿……

"头儿，我们逃吗？逃吧！"
田鼠克拉拉撒腿就跑……

田鼠克拉拉拼命朝前跑……

田鼠普老大来不及躲，大力士
的拳头就打了下来……
　　"不要，不要打眼睛！"

没想到，大力士
仅是弹了一下普老大
的脑门。

"哈哈！训练见成效了。加油！大力士。"
卡门笑着看大力士收拾这帮臭田鼠。

"看脚！"

大力士飞起一脚将木头朝

田鼠克拉拉踢过去……

"我的天哪，踢得真准！大力士你是冠军！"卡梅利多笑道。

救命！

田鼠细尾巴还想趁
机溜走，不料被大力士踩
住尾巴。

"好痛啊！"

田鼠普老大见状跪着恳求大力士。

"壮士，今天放过我普老大一命，将
来一定回报！"

大力士才不听他的鬼话，他把三只坏田鼠放进铁锅里。

他又拿了块木头垫在下面，利用杠杆原理，使劲一踩……

铁锅载着三只坏田鼠飞上了天。

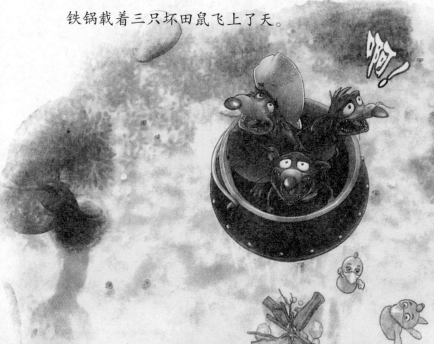

啊！

"头儿，我们跳吗？跳吧！"

　　"啊，天真蓝啊！他们总算上西天了！"
卡门仰头对大家说。

　　"他们上西天了，我们就真的永远安全了
吗？"贝里奥心里还是很忐忑。

过一会铁锅落了下来，被大力士稳稳地接住。

"三只臭田鼠一定是中途'跳伞'了！哈哈！"

"为了表彰你对我们鸡舍作出的贡献，我代表全体成员授予你为本年度特约贵宾，邀请你和我们一起过大年！"皮迪克对大力士说。

"感谢你们的帮助，我才能掌控自己的力量。明天，我就要周游世界了，在离开前……"

大力士冲小鸡们挤挤眼，"怎么能不准备一口大锅庆祝鸡年新年呢？节日庆祝开始！"

好耶！

哦！

过年啦！

在大家排队和大力士告别的时候，贝里奥站在卡门后面，假装自言自语地说："我已经对大力士坦白了你扮演宙斯的事……"

"再见，卡门！贝里奥告诉我是你教会了我控制力量。谢谢！"

"我敢肯定，宙斯一定会为你骄傲的。"

没有人能打败大力士，他是希腊众神之王宙斯与底比斯国王之女阿尔克墨涅所生的儿子。半人半神的大力士海格力斯拥有连神都望尘莫及的力量，是希腊神话里著名的英雄，然而却招来天后赫拉的诅咒，他必须在十二年中完成十二项英勇业绩，才能重返奥林匹斯山。

　　这十二个异常艰巨的挑战包括：打败独眼巨人，除掉尼米亚猛狮，从赫斯皮莱斯花园里偷出金苹果，捕获拥有黄金鹿角的刻律涅牝鹿，杀死勒纳湖中的九头蛇怪海德拉，把长着三个头的地狱看门狗刻耳柏洛斯带回去……不过，这些对大力士海格力斯来说都是小意思。

不一样的卡梅拉动漫绘本

据 [法] 克利斯提昂·约里波瓦同名绘本动画片改编

共 32 册

穿越历史 解读经典 活语幽默

下蛋，下蛋，总是下蛋！
生活中肯定有比下蛋更好玩的事情！
这次我们要到远方去探险……
莫扎特、小红帽、马可波罗、堂吉诃德、
达·芬奇、富兰克林这些历史上的名人都会
出现在我们的生活里……

不一样的卡梅拉
3D 动画片（六盒装 DVD）

D'après la collection de livres de Ch. Heinrich et Ch. Jolibois © Pocket Jeunesse. D'après la série animée réalisée par JL Francois – bible littéraire M. Locatelli & P. Regnard © Blue Spirit Animation / Be Films Titre de l'épisode « Les 12 travaux de Carmen » écrit par F. Martin Les P'tites Poules © Blue Spirit Animation

Chinese simplified translation rights arranged with Chengdu ZhongRen Culture Communication Co.,Ltd,
本书中文版权通过成都中仁天地文化传播有限公司帮助获得

据 [法] 克利斯提昂·约里波瓦同名绘本动画片改编

图书在版编目（CIP）数据

我的本命年任务 / (法) 约里波瓦文；
(法) 艾利施绘；郑迪蔚编译.
－－ 南昌：二十一世纪出版社，2013.4
（不一样的卡梅拉动漫绘本）
ISBN 978－7－5391－7654－3

Ⅰ.①我… Ⅱ.①约… ②艾… ③郑……
Ⅲ.①动画－连环画－作品－法国－现代
Ⅳ.①J238.7

中国版本图书馆CIP数据核字(2013)第048735号

版权合同登记号 14－2012－443
赣版权登字－04－2013－154

我的本命年任务　　　郑迪蔚 / 编译

策　　划	张秋林　　郑迪蔚
责任编辑	黄　震　　陈静瑶
制　　作	敖　翔　　黄　瑾
出版发行	二十一世纪出版社
	www.21cccc.com　cc21@163.net
出版人	张秋林
印　刷	广州一丰印刷有限公司
版　次	2013年4月第1版　2013年4月第1次印刷
开　本	800mm×1250mm　1/32
印　张	1.5
印　数	1－60200册
书　号	ISBN 978－7－5391－7654－3
定　价	10.00元

本社地址：江西省南昌市子安路75号　330009（如发现印装质量问题，请寄本社图书发行公司调换 0791－86512056）